GW01087128

ISBN 978-2-211-09107-7
Première édition dans la collection « lutin poche » : mai 2008
© 2006, l'école des loisirs, Paris
Loi numéro 49 956 du 16 juillet 1949 sur les publications
destinées à la jeunesse : mars 2006
Dépôt légal : novembre 2009
Imprimé en France par Pollina à Luçon – n° L52565

Mario Ramos

LOUP, LOUP, Y ES-TU ?

Pastel
lutin poche de l'école des loisirs
11, rue de Sèvres, Paris 6ᵉ

Attention ! C'est parti !

Promenons-nous dans les bois
Tant que le loup n'y est pas.
Loup, loup, y es-tu ?
Loup, loup, que fais-tu ?

Silence !
Je dors !

Hou ! Le gros paresseux, il dort encore…
Debout ! Grosse marmotte !

Promenons-nous dans les bois
Tant que le loup n'y est pas.
Loup, loup, y es-tu ?
Loup, loup, que fais-tu ?

Ça va, ça va,
les guignols !
Je me lève !

Aaah, enfin! Monsieur se décide
à bouger son popotin.

Promenons-nous dans les bois
Tant que le loup n'y est pas.
Loup, loup, y es-tu?
Loup, loup, que fais-tu?

Je prends ma douche !

Excellente idée !
Et n'oublie pas de bien nettoyer
les aisselles, dans les oreilles
et entre les orteils.

Promenons-nous dans les bois
Tant que le loup n'y est pas.
Loup, loup, y es-tu ?
Loup, loup, que fais-tu ?

Je me brosse les dents !

C'est cela ! Brosse, mon ami, brosse.
Et n'oublie pas le dentifrice car il faut
que ça brille !

Promenons-nous dans les bois
Tant que le loup n'y est pas.
Loup, loup, y es-tu ?
Loup, loup, que fais-tu ?

Je mets mon caleçon !

Hou, hou, hou ! Son caleçon !
Le petit blanc à carreaux rouges ?
Le rose bonbon à pois verts ?
Ou le jaune à lignes mauves ?

Promenons-nous dans les bois
Tant que le loup n'y est pas.
Loup, loup, y es-tu ?
Loup, loup, que fais-tu ?

Je mets mes chaussettes,
je passe mon pantalon,
j'enfile ma chemise,
je noue ma cravate,
je chausse mes bottes,
je prends mon manteau
et ...

Et je vous mange
tout crus !

Ha! Ha! Ha! Ha! Ha!